연 약 사

연약사

발 행 | 2024년 7월 23일
저 자 | 김민서
펴낸이 | 한건희
펴낸곳 | 주식회사 부크크
출판사등록 | 2014.07.15.(제2014-16호)
주 소 | 서울특별시 금천구 가산디지털1로 119 SK트윈타워 A동 305호
전 화 | 1670-8316
이메일 | info@bookk.co.kr

ISBN | 979-11-410-9425-6

www.bookk.co.kr

Coin De Cheminee À Les Clayes, Édouard Vuillard

인상깊은 순간들의 존재만으로 감사하며

시를 본격적으로 적어 본지 두 달이 되어서야 첫 시집, 포괄적으로 본다면 첫 책을 만들어 봅니다. 나름 책을 꾸준히 읽어 왔다 자부했음에도 시를 써봐야겠다 다짐만 했지 막막할 뿐이었습니다.

평소 생각을 많이 하는 편에 속한다고 줄곧 느껴왔지만, 그럴 때마다 스스로에게 되뇌는 말이 있습니다. 다른 사람의 삶에 나는 공감하고, 생각할 수 있을 뿐 손 하나 내밀어볼 수 없으니 함부로 평가하지는 못한다고요. 그렇기에 저는 글쓰기의 매력으로부터 굳건한 확신을 얻었습니다. 생각을 한정적인 시간 내에 정리해 언어를 조립하려면 많은 수고와 노력에 진땀 빠질 때도 있지만, 글을 쓰는 데는 최소한 진땀 빠질 정도로 힘들지도, 남은 시간이 정해져 있지도 않으니까요.

매일, 가끔은 이틀에 한 번 시를 써보면서 저라는 사람에 대한 감각을 익혀 나갔다는 사실에 감사하기도 합니다. 글을 쓰시는 다른 분들의 아이디어는 근원을 어디에 두고 있는지 알 수 없습니다만, 개인적으로는 특정 단어에 꽂힐 때 글감이 떠오르는 경우가 많습니다. 시의 제목인 연약사 또한 그 경우에 속하고, 이외에도 매 시 그 주제를 요약 가능한 단어를 하나씩은 끼워 넣었습니다. 아무리 작가가 시를 훌륭하게 지어낸들 해석의 여지를 가로막는다면 글을 쓴 의미가 희미해지니, 혹시라도 이 책을 읽으시는 분들이 다양한 방식으로, 각자의 해석을 통해 감상해 주셨으면 좋겠습니다. 제 시가 감상이라는 거창한 단어에 어울릴 만한 가치를 지녔는지는 의문스럽지만, 마땅히 다른 단어가 떠오르지 않네요. 혹시라도 시를 읽다가 앞서 읽은 시와 겹치는 단어가 있다거나, 제목이 유달리 본문과 어울리지 않는 시가 있다면 작가의 의도로 여기고 읽어주시면 감사하겠습니다. 군데군데 그런 장치를 끼워 넣었으니 시간이 나신다면 찾아보는 것도 재미있는 경험이 되지 않을까, 합니다.

MBTI 검사가 한창 유행했던 기억이 있습니다. 그때 저는 검사를 하는 족족 내향형 중에서도 극 내향형이라 불리는 INTJ라는 결과를 받았어요. 그럼에도 제 머릿속에 남아있는 인상 깊은 순간들은 하나도 빠짐없이 사랑하거나, 사랑받아 충분한 사람들과 함께한 것들이고, 그 가운데서 제 웃음은 마를 날이 없었습니다.

앞으로 어떤 인상 깊은 순간들이 찾아올지 미지수라 한들 상관없을 듯합니다. 한낱 티끌에 불과한 저란 사람을 아껴주고, 신경을 기울여준 많은 분에게 진심으로 감사드립니다. 평일 중 많은 시간을 머무는 학교에서 소중한 기억이 자리 잡기까지 떠나지 않아 주신 세인쌤, 희진쌤, 다경쌤, 3학년이 되어서는 뵐 기회가 자주 없지만 용진쌤, 숙현쌤, 주말마다 방문하는 마음소리 상담쌤께 특히 감사한 마음이 큽니다. 이외에도 정말 생각나는 분들이 많지만, 모든 분을 적어드리기는 어려워 마음만이라도 알

아주셨으면 합니다.

 마지막은 많은 힘이 되어준 엄마, 아빠께,

 연약한 사람은 곁에 있어준 은사를 평생 잊지 못하는 법이니까.

 고맙고, 사랑해.

2024년 7월, 김민서.

차례

Soleil, tour, aéroplane (Sun, Tower, Airplane), Robert Delaunay

제 1부

잉태(孕胎)

연 약 사

다가오지 않을 설렘을 뒤집어쓴 약자를 비호해 주시옵소서

세상에 연약사라는 말이 어디 있습니까, 해당될 이 없어야 할 것인데

저녁 즈음 목욕재계를 하겠습니다

역한 내를 기어이 흘려보내려니—

주어진 소명은 곳곳에 숨겨져 있어 들어내보지 않으면 내쳐야 할 기대로 가득하다

벗어날 궁리하니 비웃음 짓고, 받아들일 준비하니 떠나가 버리고—

정체성 무르익어야 속빈 잘남을 뽐내고 싶어질까

최후에는 고개 들고 똑똑히 지켜보겠다

넌 과숙되어 물러지겠지.

"연약한 사람을 어떻게 구원해 주어야 하는가?"

비주류

마감시간이 줄을 옥죄어 오지만, 하필이면 마지막 순번이 될 거라고 누가 생각했겠나!

남은 것들은 죄다 들러리겠지, 분명하길 넘어서 진실이라 굳혀진 규율이니 수십 명은 데려와야 생겨난 시점을 겨우 넘겨 짚어볼 걸

갈수록 앞사람들의 표정이 표준치 향해 수렴되어 가고 있어, 적막이라 비고 쓰일 퍼즐이 맞춰져 버렸네

나로서는 기대를 내려놓지 않을 수 없다, 난생 들어볼 기회 없었던 불명을 앞사람이 가져가 줬으면 했다만 그런 호재가 찾아올 정도로 큰일 이루어온 사람 아니니,

바야흐로 선택받지도 못했던 귀한 분이 납신다, 이리 무거운 팔이라도 들어 올려 경건히 맞이하자

독대의 때가 순순히 내림한다.

실망을 반려하는 포용 내게 있으니, 고유한 이름 맡겨주기를 기대한다.

서로를 감상한 절망이 앞날 그려주기를 희망하므로, 나는 그대를 비주류라 표하겠습니다.

그대로 종속되기를 나는 소원합니다.

"지금 그대로, 그리고 그대에게로."

발화점

두려움이 발화되도록 마음껏 장작을 태워줘

한 줌의 재 있어봐야 어디서도 찾아보지 못하게

아궁이의 열기에서 대장장이가 영감을 얻도록

불길은 나를 죽이고 나를 살려낼 거야

지푸라기를 엮어 몸을 마구 감싸주겠니

"지푸라기가 이렇게 가늘 줄은"

해석 오류

기억을 왜곡시키지 말아줘, 제발—

네 손으로 다른 누구도 아닌 너를 학대하고 있어, 들리니?

언젠가는 옳은 선택이었다 평가 내려질 기회가 멀지 않은 곳
에 있는걸, 혹시라도 보이지 않을까—

삶의 권한을 함부로 양도받고 싶지는 않다만—때로는 약간,
아주 약간 비틀어줘야 원래의 길을 찾아가는 것들이 있어

네가 그 모든 것을 알아낼 수 있을까? 생각이 한계점을 내포
한다 내 멋대로 재단하고 기준 잡아 버리지는 않는지—

언제, 어떻게 마주하더라도 무궁무진한 사고의 확장을 이루어
주는구나, 너는

재미있는 가정을 하나 해볼까?

여기 기울어진 양팔저울이 기준면과 일직선으로 세워져있어—

뜻밖의 늠름함이 돋보이는걸

두 접시에는 아무것도 올려져 있지 않아

수평을 맞추려 넌 무엇을 할 수 있을까?

정답은—있지만, 네가 너로서 존재하는 이상 찾지 못하겠지

저울은 단 한 번도 기울어진 적이 없었어

저울이 정말 있기는 했을까?—다시 잘 살펴봐, 다시

지금 넌 누구와 대화하고 있는 거야?

어렵지 않아, 그저 처음으로 돌아가기만 하면

너는 네 기억을 전적으로 신뢰할 수 있겠어?

기억을 신뢰할 수—

기억.

이것이 내 기억이다.

이것은 내 기억인가?

"기억은 전적으로 의지 받는다."

사랑하는 사람

아, 아이야—

네 숨결이 가리키는 곳에 한결같이 머물러 있겠다

짓궂은 장난에 만개하는 웃음이 뒤따라올 테니,

서둘러 산들바람을 더해주면 어떨까—

별다름 없이 그저 아름답다만, 그것으로도

머지않아 너를 가슴속에 가득 담아두겠지

"평생 널 지켜볼 수 있었으면 좋겠어."

본색추구

— 사랑하는 자들의 순진무구함이 그들의 순결을 증명하는 상징이라! 네 좋을 대로만 해석했어

— 비견될 사람 없으려나, 아름다운 이름으로 살아가는 사랑 스러운 그녀에 대한 거룩한 사랑은 허둥지둥 몸 둘 바를 모르네

— 전부를 그녀의 공으로 돌릴 수 없다면 살아서 무엇 할 거라 생각하지? 존재의 의의 따위를 부모에게, 친구에게 찾아다니는 어중이떠중이와 저울질하다니, 실례라 판단할 지혜조차 상실했나!

— 걱정스럽기만 한데, 그토록 지혜로운 사랑이 언제까지나 영원할 거라는 생각이야말로 그녀에게 실례겠지!

— 세상물정 모르는 어린아이의 흉내는 사랑마저 아닌지라 심지어는 때때로의 장난보다도 못하다 여겨진다! 이러니 한이라도 맺혀지겠다, 진실을 일찍이 깨달은 자가 절대로 많을 수는 없지!

— 무의미한 대화가 이때까지 왔음에도 한편으로는 생각한다, 고귀한 치장품에 비할 바 못 되는 외모, 성격, 몸짓, 행동을 하나로 연결 지어 나의 이름 불러주기를, 천상의 목소리가 울려 퍼진다, 귓속에서 맴돌고 있어

— 바랐던 마음과 온전히 일치해, 유례없는 아름다움에 반하지 않을 수 있을까

기쁨을 주체하지 못하는 무지몽매함을 배설하려,

나는 무릎을 꿇고 양손 가득 사정한다.

"본모습을 적당히 감추어야 할 때가 있어."

오아시스

서막은 무지하여,

중막은 권태로울지니,

종막은 메마르지 않겠는가

우리의 인생이 이토록 괴로웠던가

정처 없이 떠도는 영혼들은 지금 어디에 있는가

지혜로움이 그들에게 머물러주는 한

나는 한 병만큼의 호수 물이 되어

기꺼이 목마른 자에게 선의를 베풀어주겠네

마음이란 주체를 찾으려는 피조물이란 사실을

당신, 영원토록 떠올렸으면

"메마를지언정, 오아시스였음을."

침 식

나의 의식, 생각, 행동, 외모

단일 개체 나를 구성하는 그 이외의 모든 참인 진리가 명백히 존재한다.

명제, 고유한 개체의 침식은 견해에 따른 부분적 타당성을 명목상 지닌다, 는 참이다.

참은 거짓과 달리 무분별적 실행을 필요로 한다.

나직한 사고는 때때로 정밀한 논리를 줄 세우는, 자신의 앞잡이로서의 기능에 깊이 감사한다.

그것을 이루는 거짓, 비판, 질투, 어리석음—어느 하나 해당되지 않는 것이 없을 정도로.

"침식은 어디까지 용인받아야 하는 걸까?"

절멸

언어가 개화한들 무지는 싹을 튼다

뿌리를 끊어내기에는 끈질긴 버팀이 가여워서

줄기를 잘라내기에는 올곧은 마음가짐이 두려워서

고심 끝에 꽃 한 송이 꺾었건만

사무치는 비명소리는 꺾일 기세가 보이지 않더라

"열매 한 개 꺾지 않았음을 감사히 여겼다."

Davos in Winter. Davos in Snow, Ernst Ludwig Kirchner

제 2부

각인(刻印)

공황장애

도망치고 싶어, 가슴에 손을 얹고 되돌아봐도 이따위 난관은 바란 적 없었다니까

인신을 무더기의 토막 만들려 쪼개어보라 하지, 이를 모조리 뽑아내서라도 피를 줄줄이 흘려보내어 살아있을 거야, 성실함이나 끈질김이나 극명한 차이 없음을 살펴야 할걸

이번에는 또 몇 분, 몇 시간을 괴로워해야 해?

숨죽여 눈물 한가득 떠내려 보냈더니 조그마한 흔적 남은 책상이 가소롭다 판단 내려버린 비좁은 시야를 짓이기고

어린 시절부터 동고동락해온 탓인지 뭉뚝해진 가위 꺼내보았다만 까마득히 먼 곳으로 곤두박질친 약해빠진 결심의 잔상에게 사로잡혀버리니

넉넉했던 밑단 성장에 드리워진 교복을 갖춰 입고

아침 동안 아무 일도 없었다고, 아무렇지도 않다고 동떨어진 위로 건네어본다

필사적으로 걸어갔었던 가혹한 등굣길을

오늘이라 특별한 차이 없이, 거두어들이기 위해.

"아프고 싶어서 아픈 사람은 없다."

경계태세

가장 끔찍한 형태로 추한 욕망이 발산되는 동안

무모한 이분법적 사고는 어떠한 인과관계를 숨겨두고 있을지

두려움을 원인 삼아 제 가치를 배설하는 인간이 모름지기 혐오스러워야지, 무엇 하면 그러지 않을 수 있나

두 눈 부릅뜨고도 알아채지 못했던 거짓을 이제서야 거두어들였음을 이실직고한다

지금까지 못해도 서너 번은 만났으려나, 존재만으로 사랑스럽고 감사한 수많은 사람들이

연인에게 폭행당했고, 부모에게 상처 입었고, 자식에게 고통을 전이당했고, 지인에게 삶을 부정당했다 한들,

제3자로서는 경위·결과를 알 길이 없다

모두를 이기적이게도 질투하고, 티끌만큼도 빠짐없이 전부 소유하기를 갈망하지

그렇기에 나마저도 일절 예외 없이

양분이 목전에 있음을 외면하는 불신의 탄생을 염원한다.

"내 휘하에 통제되지 못함에 초조했음을."

성장

임계점이 하늘 찢어지랴 울부짖는다

비로소 와해된 인과관계에 양달이 자리한다

고통, 인내, 결심—순차적 행렬이 산개하고 있다

바란다면 오로지 변태[1]를 떠나보내어

---

1) 변태는 성체와는 형태, 생리, 생태가 전혀 다른 유생의 시
기를 거치는 동물이 유생에서 성체로 전환, 또는 그런 과
정을 일컫는다.

"항상 성장기가 지났다고 생각해 왔다."

자 유 이 용

버림받아 스스로 일어설 시간을 확보했음을,

상처받아 흔적을 감출 기회를 받았음을,

학대받아 진실을 바라볼 힘을 얻었음을 안다.

지배받을 만큼 건성으로 살아오지 않았다면

가져가 볼 의향이 있니, 이 인격체를?

"건성으로 살아왔다면 자랑할 수가 있나."

까마귀

고요함에 뒤따라오는 이름 모를 새의 울음소리

무엇을 향해 목청껏 내지르는지

한 번쯤 물어보고 싶다

새를 향해 목청껏 내질러보고 싶다

오직 새를 바라보며

"까마귀는 흉조이기도, 길조이기도 하다."

부산물

현실을 지탱하기 위해서 감내해야 했다

가지각색의 개성으로 연명하는 사람들을 상대했고

근원을 막론하고서는 더욱 자신일 뿐인 사물과 접촉했고

끝날 기미를 모른 채 속절없이 등속운동 하는 시곗바늘을 신경 썼고

이어서 맞대하게 될 필연의 짜임새 보며 감복해야 하나

조만간 지쳐버리겠다.

"터무니없을 정도로 힘든 순간이 있다."

마리오네트

모순은 제 결핍성에 잠식되어 매몰차게 내던져진 꼭두각시이어요

오, 주인이시여, 날 이끌어줄 실은 어디 있습니까?

가느다란 실로 조각조각 꿰뚫어주시지요

"어디서도 실을 찾을 수 없다."

비판적 사고

무의지하고, 무가치하며, 무정립되어, 무관념적이고, 무반항적
이잖니

삶의 실세를 너 자신이라 착각하지 마

하염없이 바라본들 끌어올릴 수 있을지도

아니다, 얕은 예감이 추락에 박차를 가하려나

"추락에는 가속도가 붙는다. 좋아하는 문장이다."

비애 (悲哀)

소재불명의 무수한 생각들이, 옛 선조들의 깨달음으로 귀결되는 잔해에 그친다는 사실이 절망스럽지 않다니

지성과 지식으로 명칭 지어진 무한한 배포가 소심한 용기를 숨기려는 가련함, 꿰뚫는 자 누구 되려나

허구를 추구하는 추잡함 하나 알지 못하는 무지가 보편적임이 몸소 느껴질 때가 되어서야,

나는 젊음뿐인 장막으로부터 흘러내리는 비애를 보았다.

"새로운 생각은 없을지도 모르겠어."

상호작용

순간의 모양을 시의 형태로 저장한다

시의 모양을 순간의 형태로부터 부여한다

"하루종일 기억하려 애쓰는 것보단 낫지."

뒤틀림

인간은 너무나 괴이하다

온몸의 감각이 내 살아있음을 증명하려는 듯 몸부림친다

괴로워 미치지 않을 수 없다

시련의 윤회는 내게서 무엇을 얻어 가려는 것일까

"그 시작점을 찾아보고 싶었는데."

Maison De Clamart, Chaïm Soutine

제 3부

신념(信念)

유 치 원

내가 슬퍼하는 까닭은 생각들 하는 것보다 특별함 없이

경박스러운 행동거지와 의미 버린 웃음으로부터 알 수 있어,
행복을 나누어 분배한다

세뇌되었으니 권리가 퇴색되고, 겉매무새를 단장했으니 모방
이 부각되겠지

자연적 발생이란 수준 높은 지성적 집합체이니—슬픔 말고도
무척 자신 있게 결론지어 버릴 수 있는 일말의 가능성이 존
재한다면 그 너머를 생각않겠다

사고는 일제히 정체성을 띠고,

나는 두려움에 뒷걸음질 친다.

"해소되기에는 아직 먼 것 같아서."

놀이동산

무지한 자들의 축제는 끝날 기미가 보이질 않으니

대관람차의 운행정지, 회전목마의 경로 이탈—모두 합당한 악
행이었다 여기려 하는데

어리석음의 소행이라 단정 짓는 자, 어디 있는가

자신만만한 태도는 온데간데없는데

그것만이 졸속이라 치부되지 않겠나

"축제의 개장이 언제였던가."

기준점

양극단으로부터 걸어온 자들은 때늦은 동질감을 느끼기 마련
이다

때이른 동질감은 이질감으로 치환되어 그 의미를 잃어버릴
즈음에,

뒤따라오던 한 걸음걸이는 무던히도 태연해 보이더라

나는 그것으로부터 부끄럼 없는 자신감을 보았다.

"난 널 보았는데, 넌 날 보지 못했단다."

반달

짙은 운무를 기어코 파고드는 저자의 반항적인 집념, 저런 당돌함을 보았나

초승달을 그믐달로 만드는 것만큼이나 수고스러운 일인데, 일언반구조차 꺼리는 태도가 돋보이네

저기—저곳이다, 이제는 뭐라도 걸려들 때가 되었지

조심스레 고개 내민 진리는 수줍음만이 가득해 보이는데

그래, 저것을 힘껏 들어 이 앞에 내려놓아 보아라

설렌다, 너무나도 설레는걸—그럼에도 두렵다

갑작스러운 미시감의 근원이 멀지 않은 곳에 있어—곧이곧대로 말하자면, 실은 아주 가깝지

두 번 다시 찾아오지 않을 기회임을 모를까, 기쁨을 멋대로 가눌 수가 없어서

머지않아 여태껏 마주했던 모두에게 성대한 피로연을 선물할 생각이다, 하나의 예외도 없이

초대장을 전달해 주었으니 이로써 역할은 다한 셈이겠지

참석을 강요하지는 않아, 없던 일인 듯 여기면 양쪽에게 득이 될 수도 있으니

언젠가 다시 마주한다 해도,

이 앞에서 저자의 당돌함을 흉내 내는 용기를 보여주기까지 줄곧 기다릴 생각이다

설령 억겁의 세월이 퇴로를 가로막는다 해도

"인내는 결과를 통해 가치를 입증받는다."

빈 페이지

— 기사님! 운행 제 길 따라 하고 계신 거죠? 이 안에서 그
는 고삐를 제대로 죄이지도 않은 권한을 과할 정도로 누리는
걸—혹여나 사고라도 나면 누구 책임일까?

— 무리다, 무리야! 이러다가는 약속 시간에 늦어도 한참 늦
는다고! 살다 살다 이런 이름값 못하는 버스기사를 봤나!

— 그럼에도 자리를 벗어나려는 사람 찾을 수 없다니, 충동을
억제하라고 그들에게 일러준 자 있단 말인가? 슬픈 현실이
여! 무엇조차 이곳에서 벗어날 수 없네!

— 이젠 견딜 수 없다, 경적이라도 울려주세요! 상황을 타파
하지는 못할망정, 당신네들의 목숨줄을 자르는 것은 다름 아
닌 자신들이잖아! 그야말로 무지하다는 말로밖에는 형용할
수가 없어!

시기적절한 이따금의 위협은 역설적으로 승객들을 진정시키
는 촉매제 역할을 수행한다.

— 깜짝이야! 정말로 경적을 울리실 줄은—

— 승객 여러분, 제 말 들리실까요?

고요가 도드라지는 정적.

— 첫 업무가 시작되면 비상시에도 반드시 필참하도록 지시받는 지침서가 있습니다. 그리 짧지도, 길지도 않은 책의 첫 페이지에 무슨 글이 쓰여 있었을지 짐작 가시나요?

— 무슨 일이 있어도 승객을 태운 버스를 전복되도록 내버려 두지 말 것. 한참을 생각에 잠긴 저는 페이지를 연거푸 넘겨보았지만, 까마득한 백지에 낙심하고는 책을 자리에 넌지시 꽂아두었습니다.

— 최후의 보루입니다, 기사에게 버스를 지킨다는 것은.

목적지가 희미해져 한 치 눈앞조차 보이지 않아도

가는 길이 난생 겪어보지 못한 위험에 휩싸여도

기사는 운전대를 쥐고 있어야 합니다.

이름값도 못한다면 자격을 박탈해야 마지않겠죠.

뒤늦게 깨달았습니다, 모든 기사는 가혹히도 무지해요.

— 아직도 책은 제자리에 있습니다. 빈 페이지들도 마찬가지로.

— ... 안내 방송 마치겠습니다.

"책이 다시 펼쳐질 날을 고대하는가."

뫼비우스의 띠

널 볼 수 없는 장님이라도 되었으면, 하고 잠시나마 빌어보
았다

두려운 뒷감당을 애써 외면하는 처연한 웃음으로

가슴에 바느질이라도 했는지

언제라도 좋으니 이를 손수 매듭지어 주고 갔으면

내 알아서 실끝을 잘라내 저 멀리 떠나보내겠어

마지막이란 기어코 처음으로 이어지는 재주를 지녔잖나

"많은 걸 바라지 않는다 여겼는데, 아닌가보오."

무신경

사람보다 무서운 존재를 아직까지는 볼 수 없었다

과연 그런 것이 있을까, 과연 있다 한들 앞으로 멀쩡히 살아 있을 수는 있을지

절벽을 움켜쥔 극도의 예민함은 스스로의 죄스러움을 외면하고 있는데

때로는 죄조차 당신의 이름으로 불리지 못하는 순간이 있다

보편적 삶의 영위가 구역질 날 정도로 흔하다 여겨지니

저기, 그나마의 쓸모에게마저 에워싸이지 못해 구슬퍼 보이네

나는 무신경이라 불러주기로 마음먹었으니, 너 받아들여라

갖은 위협에도 무한히 고유의 이름으로서 비명 질러줄 테니

반드시 제 가치를 증명해야겠지.

"동족혐오가 정당화되기 위해서."

투신

자율성을 피력하려 몸부림치는 인간

누군가로부터 힐난 받아야 할 잘못을 저질렀는지

죽음 뒤에도 영혼이 온전하다면

몸을 선뜻 내던질 용기조차 잃어버렸겠는가

"가장 나다운 선택에 눈길이 갔다."

결속의 굴레에서

미약한 설렘마저 모순으로 결속되어,

두려워 더 두려워해야 한다

설레어 더 설레어서는 안 된다

형태·관념의 결속, 것마저 모순이지 않는가

모순을 죄이는 모순은 모순 투성이여서

"모순덩어리, 전부 모순덩어리야."

대장간

사회화는 평균에 맞춰가는 고된 작업이다

낙오자는 담금질이 부족했던 것뿐

숙련자는 되새김질이 탁월했던 것뿐

시선을 그곳에 머무르지 않도록

"특별함의 유혹에 자칫 매료되지 않도록."

Interior with black cat, Walter Conz

제 4부

본색(本色)

월화수목금토일

너무나도 괴로워 잠시 눈을 붙이는 월요일

잃어버린 외로움을 되찾으려 주저앉는 화요일

이해를 온전히 담지 못하는 자신을 뒤바꾸려 전진하는 수요
일

사흘의 짧디짧은 여정에 지쳐 외면하는 목요일

끝맺음의 부담감에 모두 내려놓고 싶어지는 금요일

달콤한 토요일, 일요일이 지나고,

월요일이 시작되어

어제의 자신과 이별하면서 기억조차 주워 담지 못할 정도로
멀리 흩뿌려두고 싶은데

주인을 끈질기게 따라오는 고집에 굴복해 이별을 생각할 겨
를을 놓치고.

"고작 일주일일 수도, 일주일이나 될 수도"

이동하는 삶을

행복을 느끼고 있다 증명받으려 입꼬리를 들어 올리고 눈매를 가늘어지도록 했는데

묵인하고 방관해왔으니 일선에서 주장을 펼치겠다 한참을 바라왔지만 착각 아니라면 그럴 기색은 보이지 않고

느낄 수 없는 행복을 꾸며내려는 수없던 노력이 허사로 회부되지는 말아야지

너희들의 연대를 끊어내야 한다고, 날선 정교함을 앞세워 절규한다

어설프게 닮아있는 불완전함 도려냄이 이치련만, 대가를 이끌어내는 능력 없이 태어난 사랑 있어 기꺼이 미소 지어주려니 부디 안심해 주었으면

아무리 발악한들 가지지 못하겠어, 그럴 거라면 차라리 던져줘

그제야 기다렸다는 듯 밀려오는 행복함.

한 시간, 하루, 일주일, 한 달이라도,

제자리에 머무를 수 있었던 시간 있었을까.

"하루종일 뛰어다니기만 했다."

인 터 뷰

참회의 부름 앞두고 주저앉아라, 형체를 알아보지 못하게 되어버릴, 상실로 부풀어질 순식간의 추락이야말로 진정 고대했던 죄악임을 알다마다

감이 잡히지 않아, 존중받을 선택이 일순간의 망설임을 떠올리도록 한다면—거짓은 태초의 주인을 기다렸다, 이 얼마나 축하할 승전보일까

내버려라, 여러 입 모아 진심으로 축하드리겠지!

이성을 휘감은 결심, 진실이라 믿었던 일개 해악이 본색을 드러내기 전에 저에게 맞서려면서도 겹겹이 쌓인 추태를 끌어안은 게걸스러움이 이해되지는 않을 거다

부탁하니 입 열어 말해주어라, 기다림을 마무리 지을 수 있음을 내비쳐줄 의지를 표현하려는지—무모한 언행은 결을 해친다, 선천적으로 겁이 넘쳐나는 사람이라 판단 내렸으니

확실히 말해주지, 너는 기다려줄 마음이 없겠다

삶과 죽음은 인간이 되어 밟고 가야 하는 괴로움으로써 최고봉이자, 그 구성원이라는 사실을 가슴 깊이 받아들이기에

다시는 잡아볼 수 없을 손들과

다시는 바라볼 수 없을 눈들과

다시는 마주하지 못할 곁사람들

그 전부를 언제까지나 떠올릴 수 있다면야.

"그럼에도 남아있다면, 결심은 섣불러진다."

지하를 바꾸는 시간, 지바시

― 성찰이 필요 이상의 기능을 지녔다 생각하세요?

― 때때로 자기를 돌아보는 것마저 외면하도록 이끄는 악마가 돌연히 나타나기 마련이잖습니까. 성찰의 이지적 측면을 활짝 열어두었다 해서 당위적 접근으로 유도할 필요는 없지 않을까요.

― 한편으로는 성찰이 일찍이 왜곡성을 터득했다는 점에서 어른스러운 면모가 돋보이지 않나 싶습니다. 성찰과 유사하면서도 대중에게 선보일 만한 유의어의 기능으로는 무엇을 손꼽아볼 수 있을까요?

― 지능의 경우를 살펴보며, 흔히들 육각형 인재라고 말하죠. 다수의 영역이 고르게 성장한 자가 각광받는 시대에 돌입했다는 것은 명명백백한 사실입니다. 사회적 변화에 반사적 반향 의지를 내세우기보다, 순응과 뒤따라감으로부터 특정 상황의 긍정적 효용성을 집어내는 능력을 키우는 것이 어떨까, 라는 것이 제 생각입니다.

― 마지막으로, 시대적 문제로 여겨지는 자살 인구의 증가에 관해서는 지금까지 늘 그래왔듯, 교과서적인 비판적 시선이 바람직하다 생각하실까요?

― 비단 자살뿐만 아니라, 연관된 전부의 영역에 속하는 인구

는 감소세를 띤 적이 없습니다. 현 세기에 접어들며 개인이 속해있는 집단의 범위가 확장성과 지속성을 강조 받아온 점을 감안하면, 모두가 합리적이라 받아들여 왔던 비판적 시선은 개선되어 이외의 시선과도 적절한 융합이 이루어져야 수치적 감소가 뚜렷이 보이게 될 것입니다.

— 지금까지 저명하신 교수님과 함께 이야기를 나눠보았습니다. 삶을 재차 꿈꾸어 보는 여러분께 오늘 대화가 많은 도움이 되었길 바라겠습니다. 질문이 있으신 분이 있을까요?

4열의 어린아이가 손을 번쩍 든다.

— 그런데요, 아저씨는 죽어서 이렇게 말할 수 있는 거잖아요. 아저씨가 안 죽어서도 아까 전이랑 똑같이, 완전 똑같이 말할 수 있어요?

— 완전 똑같이 말할 수 있어요?

— 완전 똑같이 말할 수 있어요?

청취자들이 일제히 외친다.

— 아저씨는 제가 누구인지도 모르잖아요, 아무것도 모르잖아. 우리가 뭐가 똑같다고 생각하길래 그런 식으로 말하는 거예요?

— 뭐가 그렇게 잘났어요.

불안—공황.

연쇄적 반응.

"개별적 반응이 그것으로 남아있기란 쉽지 않다."

향기

두 귀에는 이어폰을 꽂고

손끝은 베개 양단을 움켜쥔 채로

몸은 선풍기의 서늘한 바람을 느끼며

쌓아두었던 감정, 기억, 넘치도록 가득했던 생각들과 아울러
다시금 나를 잃어버리고 있다

이제는 어제라 불릴, 선명히 떠올리지 못할 오늘을 잠시 담
아두려

피로한 눈꺼풀을 지긋이 포개어주고,

그토록 인상적일 수 없는 향기를 들이킨다.

"그렇지 않으면 했는데, 어린아이 같은 모습."

스모더드 메이트

잔혹하고도 일관된 현실 위에 두 권력이 군림하고

명백히 기울어버린 세태에 절망스럽기만 하네

아랫것들의 장황한 아첨, 믿음을 찾아보기 어려운 노여움—
정녕 천지에서 비롯된 과오였단 말이지

재밌는 일이야, 어쩌면 나뿐만 아니겠는걸

도저히 최종의 승자를 가늠하기 어려우시겠죠—어련하시겠습
니까, 암요

쥐구멍조차 없을까 해서 속속들이 찾아보았지만 이런, 정말이
었네

이것으로 마무리 지읍시다, 굴복은 진실로 나약한 자에게만
허락되는 것이니

그렇지 않소? 옳은 말만을 지닌 이 입이 웬일로 말썽 부렸나
보네

게다가 자네들은 제 위치조차 알지 못해 빈틈없이 둘러싸는
것밖에는 재주가 없군—

이로써 증명되었어, 이것들은 꼬드김에 넘어간 게 분명한걸

추측건대 매질당해 마땅한 배반임을 망각했겠지

스모더드 메이트[2].

1-0.

---

2) 스모더드 메이트는 체스에서 기물들에 둘러싸여 움직일 수 없는 킹을 체크메이트 하는 전술로, 킹 주변에 많은 기물이 포진되어 있는 경우 주로 일어난다.

"체크, 체크, 체크, 스테일메이트[3]."

---

3) 무승부.

체리쥬빌레를 좋아하시나요

외출이란 단어는 가까워지려야 되려 멀어지기만 하는 이기적인 성질을 지녔다.

비단 나뿐만이 아니라, 가족 모두에게.

가끔은 그런 모습에 서운하기도 하지만, 불가능해 보이는 승리를 쟁취할 수 있는 순간이 종종 있는데,

— 어서 오세요!

바로 아이스크림 판매점을 방문할 때다.

점원의 가벼운 인사 한마디에도 움찔하는 수줍은 학생으로서,

선택하는 시간마저 고역이기에 언제나 기본 이상의 맛을 보장하는 베스트셀러를 주문하지만,

부모와 자식이 매번 혼연일체여야 한다는 법이 없다는 사실을 증명하듯

— 체리쥬빌레...로 담아주시겠어요.

한 번도 예상이 들어맞은 적이 없었다.

생각해 보면 엄마 말고도 한 분 더 있기는 했다, 체리쥬빌레를 좋아하는 분이.

이야기가 어쩌다 아이스크림 맛에 관한 쪽으로 흘러갔는지는 모르겠지만, 영어 수업 시간에 있었던 일이다.

지루한 수업이 끝나고 시간이 얼마 남지 않아 선생님과 이런저런 대화를 나누었는데,

내가 늘 같은 맛을 선택한다는 말에 선생님께서 공감하시니 문득 궁금해져서

— 선생님은 주로 어떤 맛을 고르세요?

라고 물어보았다.

잠시 고민하시는 듯하던 선생님은 생각보다 빨리 답해주셨는데,

— 체리쥬빌레. 특별한 까닭은 없어. 알게 모르게 추억이 담겨있는 것 같달까?

생각지도 못한 답이었다.

다른 아이들에게 같은 질문을 했을 때처럼, 당연히 인기 많은 맛을 좋아하실 거라고 생각했으니.

초등학생 저학년이었던 그때의 나는 지금 되돌아보면 순수하면서도 이상한 마음을 가지고 있었다.

괜히 다른 사람과 조금이라도 연결되는 부분을 찾고, 뭐라도 자랑하고 싶었던 것이다.

— 어! 저희 엄마도 그런데. 어떤 것 때문에 그 맛을 좋아하시는 거예요?

쉬는 시간이 시작되었음을 알리는 종이 울릴 때까지 십여 초를 기다렸지만 대답은 오지 않았다.

왜일까, 내가 선생님께 예의 없는 말을 했나?

어떡하지, 지금이라도 이유 불문 죄송하다고 하고 뒷문으로 도망칠까?

지금이나 그때나 변함없이, 나는 다른 사람과의 대화에서 이질감이 생기면 스스로의 잘못을 먼저 생각하는 습관이 있었다.

— 그러게... 잘 모르겠는데(웃음). 나중에 네가 어른이 되면 말해줄 수 있을 것 같은걸?

졸업 이후로 아직까지 그 선생님을 뵈지 못했다.

선생님, 잘 지내시죠?

전 아직도 외출을 좋아하지도, 과감하게 체리쥬빌레에 선뜻 손을 내밀지도 못하는 소심한 학생입니다.

그래도 조금은 알 것 같아요, 선생님의 마음을.

어른이 되면 꼭 선생님을 수소문해 찾아뵐게요.

미리 자리 잡아 놓을 테니, 아무것도 챙기지 말고 몸만 오셔도 괜찮습니다.

같이 체리쥬빌레 한 스푼씩 떠먹을까요.

"굳이 기분전환을 원하지 않더라도, 언제든."

고해성사

산산조각 난 메아리가 어찌하여 눈에 밟히는지

한 마디만큼의 행복과

한 움큼의 불행으로 뒤섞여진 존재는

여생을 겨눈 패색이 갈수록 짙어져가던데

네가 한 움큼만이라도 행복하고

한 마디만큼만 불행하기를 간절히 빌었다

무엇 이상으로도 힘듦이 나아가지 못하고

다시는 흔적이 남지 않도록 허공에 흩뿌려지기를

"모두의 행복을 바라는 마음이 치기로 여겨진다."

억울함, 호소하려고

의문이 배제된 생각의 지속은 엽기적 형태를 자아냅니다

길을 가로막는 갖가지 장애물을 사뿐하게 지르밟아 뭉개 버리니

경이로워 두렵지 않을 수 없었습니다

이기적이게도 제 위력을 가늠조차 하지 못하는 어리석음을 지니기도 했죠

제가 이해하려 신경을 기울여야 하나요

도리어 제가 이해받으려 호소해야 하지 않겠어요

약자는 말이 많습니다

"누구라도, 깊이 이해하려 노력해줬더라면."

새벽, 또는 늦은 밤

밤이 되어 악마가 일어선다

거짓으로 매듭지어져 속을 게워낼 수조차 없는 육체를 가진

후회를 걷어내다 문득 찾아오는 허기짐에 정신을 쥐어뜯어
먹는

악마가 무릎을 꿇으려 한다

정말로 잘 살고 싶었다, 추호의 악한 생각도 허상이었다 변
명하는 꼴이

그야말로 악마뿐이기 그지없었달까

"아침이 아니라서, 그나마 다행이라 여겨야 하나."

동 경 산 책

열정은 나태함의 희열에 반해서

집념은 게으름의 빈약에 반해서

노력은 상실의 불안에 반해서

되찾으려 먼 길 떠나는 당신에 반해서

제 의미를 갖춘 자가 나는 되고 싶었다

"동경하는 분과 함께 산책했던 기억이 있다."